働く現場をみてみよう！

伝統を守り・伝える仕事

[監修]
パーソルキャリア株式会社
"はたらく"を考えるワークショップ 推進チーム

Contents

伝統の仕事とは何ですか？ …………… 4

Works 1 寿司職人さん …………… 6

Works 2 包丁職人さん …………… 10

コラム 1 日本の伝統を受けつぐ仕事をしている外国出身の職人さん …………… 14

Works 3 筆職人さん …………… 16

Works 4 花火師さん …………… 20

コラム 2 みんなのギモン
「自分が好きなこと」を仕事にしたほうがいいですか？ …………… 24

Works 5 宮大工さん …………… 26

Works 6 杜氏さん …………… 30

ほかにもあるよこんな仕事 …………… 34

Works 7 和菓子職人さん

Works 8 印染職人さん

コラム 3 伝統を受けつぐ仕事の見つけ方ガイド …………… 38

※この本の内容や情報は、制作時点（2024年6月）のものであり、今後変更が生じる可能性があります。

はじめに

みなさんは「伝統があるもの」と聞いてどんなものを思いうかべますか?

じつは、みなさんの身近には、伝統として受けつがれてきた取り組みや工芸がたくさんあります。例えば、お寿司や花火、お祭りなどもそうです。

そこには職人さんといわれる人たちが、数百年、ときには数千年も続いている技術をつかって、今わたしたちの目に見えるものをつくっています。

「伝統があるもの」は、だれにでもつくれるわけではなく、何年も修行を積んできた職人さんだからこそできる、特別な「わざ」があり、そこには、上品で細やかな心配りがされています。

「職人さんの仕事は責任が重そう」、「修業はどれくらい積めば一人前になれるの?」といった疑問を持つ人もいると思います。

ぜひ、日本で生活をしているからこそ知ってほしい、伝統を受けつぐ数々の仕事にふれてみてください。

パーソルキャリア株式会社
"はたらく"を考えるワークショップ 推進チーム

伝統の仕事とは何ですか？

その仕事をするのはどうして？

「伝統の仕事」とは、昔から続いてきた日本の文化や技術を守る仕事のことです。そこにたずさわるたくさんの人たちは、伝統を支えるというほこりを持って、日々、仕事をしています。

伝統文化って？

日本の歴史や日本人の気持ちがこめられた伝統文化には、祭りなどの年中行事、着物などの衣服や食文化、武道、建築、庭園などがふくまれます。

伝統を受けつぐって？

古くからある日本独自の文化を支える技術や知識、精神性、芸術性などを引きついで守り、次世代に伝えることをいいます。

伝統芸能

伝統芸能とは、昔から受けつがれてきた日本の舞台芸術や音楽、文化活動のことです。芸術的な表現だけではなく、日本人としての精神や大切に考えられてきた心をあらわしています。

例えば

能　狂言　歌舞伎　文楽
落語　茶道　華道　書道
日本舞踊　雅楽

などが代表的なものです。

伝統工芸

日本の伝統的なものづくりによって生み出される工芸品は、きめ細やかな美しさやつかい心地の良さで世界から注目されています。工芸品は、日本の文化や美意識を伝える大切な存在であり、職人さんたちの技術と情熱の結晶といえます。

代表的工芸

和紙　陶磁器　ガラス細工　漆器
木工品　日本刀　彫金　刺繍
和菓子　染め物　などがふくまれます。

Works **1**

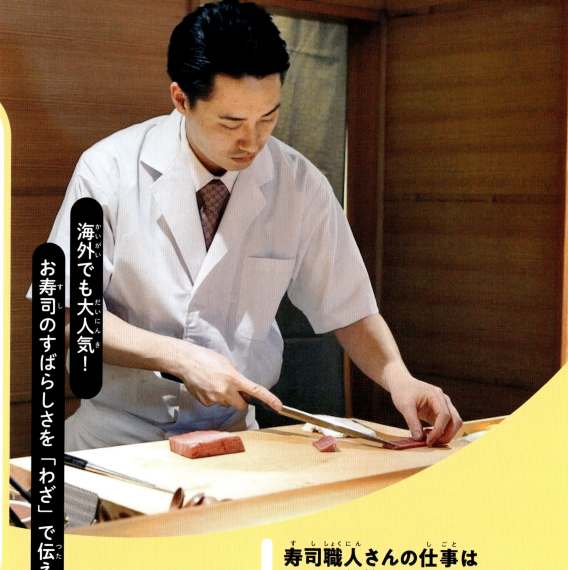

寿司職人さん

東京すしアカデミー株式会社

海外でも大人気！
お寿司のすばらしさを「わざ」で伝える

日本のお寿司の歴史は1200年前にさかのぼる!?

日本のお寿司の歴史は古く、奈良時代には「熟れずし」という、魚をごはんと塩で発酵させたお寿司がありました。

江戸時代になり、1700年代前半ごろには、現在のお寿司の原型となる「早ずし」が生まれました。すぐ目の前の海でとれた江戸前の魚貝を処理した寿司ネタと、お酢と塩で味付けした寿司飯でにぎった「早ずし」は、庶民にとても人気がありました。

寿司職人さんの仕事はどんな仕事？

寿司職人の仕事を簡単にいうと、魚をさばいて、お寿司をにぎることです。でも、魚は何でもいいというわけでなく、季節ごとに一番おいしい魚を見分けて、新鮮なものを仕入れることが大切です。

また、仕込み（準備）もていねいにしなくてはいけません。仕込みは、魚によっては塩でしめたり、お酢をつかったりすることもあり、時間がかかるものから始めていきます。ていねいな準備から、ほんとうにおいしいお寿司ができるといいます。

おしごとデータ

必要な資格 海外で働く場合は実務経験が必要です。また、調理師免許があると、海外で働くための資格をもらうときに役立つことがあります。

にぎるだけじゃない
職人の仕事はたくさんある

寿司職人の仕事は、下準備が7割、接客が3割といわれるほど開店までの準備が重要です。

●仕込み・寿司飯（シャリ）の用意

魚をさばいて、お寿司のネタにするための仕込み（準備）をします。また、お客様が来る時間に合わせて寿司飯（シャリ）もつくります。手早くしゃもじで切るように混ぜるので、「シャリキリ」と呼ばれています。

●食材を仕入れる

その日につかう寿司ネタに合わせて、毎日、仕入れをします。早朝に市場に行って新鮮な魚を選んだり、信頼できる魚屋さんから魚を届けてもらったりして、新鮮で質の良い季節の魚を選ぶことにも寿司職人の技術が生かされます。

●接客

お客様によって食べる量や速度がちがうので、お客様の様子を見ながら、ちょうど良いタイミングでお寿司をにぎっていきます。どんな魚や味が好きかなど、お客様の情報を得るためにも会話はとても大切です。

●お寿司をにぎる

注文を受けたらお寿司をにぎっていきます。寿司飯は、ふわっとやわらかくにぎるのがコツです。

●海外で人気が高い職業

海外では、日本人の寿司職人がいることで、お店の宣伝にもなるほど尊敬される仕事になっています。地域にもよりますが、海外の日本人寿司職人のお給料は、ほかの料理人よりも高い金額がもらえることもあります。

寿司職人になるには？

個人のお店に入って修業をすることがほとんどでしたが
最近は寿司専門学校という選択肢もあります

☑ 寿司店に入って、店の主人に教えてもらう

個人経営や食品会社が経営する寿司店に入って、その店の主人のもとで修業しながらわざを身につけます。お店には先輩もいるので、お寿司の勉強だけでなく、人として成長するために大切なこともお店の人や先輩たちとの交流を通して、学ぶことができます。

● 海外で寿司職人として働く場合

寿司職人として海外に行きたい場合は、調理師免許を取ること（現場勤務2年で受験資格がえられます）や、日本で3〜5年以上の経験を積むことが必要です。

● お店を出す場合

調理師免許の資格を持っているか、食品衛生責任者の講習を受けることが必要です。また、お店を運営するためには、簿記3級レベルの経理の知識も求められます。

☑ 専門学校で技術を学ぶ

短期間で「魚をさばく」、「お寿司をにぎる」といった技術を、集中して身につけたいなら、寿司の専門学校や料理学校が良いでしょう。
学校には、高校や大学卒業後に入学する人、社会人になってから転職を考える人、働きながら夜間に学ぶ人など、さまざまな方法で多くの人が学んでいます。

寿司専門学校の主な就職先

- ●個人経営の寿司店
- ●大手寿司チェーン店
- ●食品メーカー
- ●ケータリング会社　など

教えて！"寿司職人さん"

この仕事 13年目

鮨たか大 寿司職人
生田 峻大さん (30さい)

「一人前にお寿司をにぎれるようになるには10年はかかるよ」

Q どうして寿司職人さんになったの?

お寿司をにぎってみたいなと思って、この世界に入りました。お寿司は日本料理を代表する味ですし、お客様の顔を見ながら仕事ができるのが楽しそうだと思いました。

Q 仕事で大変なことは?

魚の仕入れから仕込み、お客様をむかえてお寿司をにぎり、お客様が帰るまでが仕事。1日中やることがたくさんあるので、体力、気力をしっかりキープするのが大変です。

Q うれしいことはどんなこと?

やはりお客様に「おいしかった。また来ます！」と言ってもらえることですね。お客様のえがおを見ると、つかれもふき飛びます。

Q 魚が苦手な人でも寿司職人さんになれるの?

もちろんなれますよ。魚をさばいたり、さわったりを毎日、コツコツ続ければ、少しずつですが、かならず慣れていくので大丈夫です。

Q お寿司が好きなだけで寿司職人さんになれるの?

食べることが好き！ というのは、飲食の仕事にはとても大切だと思います。いろいろな食材をいろいろな調理法で食べてみて、どんどん自分の味覚を広げてください。

Q 海外でも仕事ができるって本当?

本当です。海外での寿司人気はすごく高くて、寿司店も数多くありますが、寿司職人は不足しています。しっかりとお寿司の技術を身につけて、海外に飛び出して夢を広げるのもいいと思います。

Works 2

包丁職人さん

堺包丁　株式会社實光

世界が認める和包丁
その「切れ味」を守り、未来へ伝える

古代から続く「堺包丁」の長い歴史

日本の和包丁は、日本刀の製造技術から生まれたといわれています。

とくに、「大阪府堺市」「新潟県三条市」「岐阜県関市」が三大刃物産地としてよく知られ、なかでも堺市の刃物文化は、約600年の歴史があり、15世紀に包丁鍛冶集団が、加賀国（現在の石川県）から堺へ移住したことから始まったそうです。

もっと昔、5世紀に日本最大の仁徳天皇陵古墳をつくったときには、工事道具として鍬や鋤などの鉄の道具がたくさんつくられたため、多くの職人たちが堺に定住し、包丁などの鍛冶技術が発達したとも伝えられています。

分業によって切れ味するどい包丁がつくられる

堺の包丁は、専門の職人さんたちが分業してつくるのが特徴です。例えば、鉄のかたまりを熱してたたいて平たくし、包丁のかたちに切り出す鍛冶屋さん、それを研ぐ研ぎ屋さん、柄をつくる職人さんなど、いくつかの工程をそれぞれが担当します。

今回、お話を聞いた堺包丁をつくっている株式会社實光さんでは、「研ぎ」と「柄付け」を行っています。和包丁の切れ味を決める「研ぎ」の技術はとても重要です。世界でも認められるほど、切れ味抜群の包丁づくりにはかかせない技術です。

おしごとデータ

必要な資格　包丁職人さんとしての技術

切れ味とかたさを手作業で生む職人の仕事

堺包丁は、鍛冶、研ぎ、柄付け、名入れまですべての工程を手づくりで行っています。

●鍛冶
刃物の素材である鋼材を熱してたたき、平たくして包丁のかたちにととのえます。この段階ではまだ厚みがあり、切れ味は生まれていません。

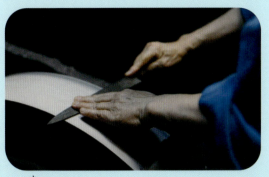

●研ぎ
巨大な円盤状の砥石を回してけずり、包丁の立体的なかたちをつくり出します。むだな部分をけずり、シャープなかたちを生み出していきます。

●ひずみ取り
刃がなめらかになるように、金槌や金属の棒でとんとんたたきながら、表面のゆがみをなくす作業です。

●柄付け
むき出しの刃の下部分にある中子を熱して、柄に差しこんでしっかりと固定します。包丁が柄に対してまっすぐになるように調整します。

●名入れ
名は書くのではなく、ほって入れます。包丁にお客様の名前を入れることで、世界でたったひとつの大切な道具になります。

包丁職人になるには？

包丁づくりを教える専門学校はないので
工房や刃物製造会社に入ることからスタートするといいでしょう

☑ 包丁の製造工房に入社する

職人として確実に技術を身につけるなら、工房を目指すのがいいでしょう。堺包丁のように分業制になっている地域では、「鍛冶」や「研ぎ」など、どの専門を目指すかを決めてから探してみましょう。

砥石で包丁の刃をみがいているところ。

☑ 製造から販売まで行う会社に入社する

製造から販売まで手がけている会社では、いろいろな工程をトータルで学ぶことができます。さらに、経営や商品開発の勉強ができるところもあるので、どんなことをしている会社なのかを調べてみるといいでしょう。

包丁職人が活躍できる主な就職先

- 刃物工房
- 刃物製造販売会社
- 調理器具メーカーなど

家でもつかわれている包丁の種類

日本の和包丁は、食材によってつかい分けられるくらい種類がたくさんあります。

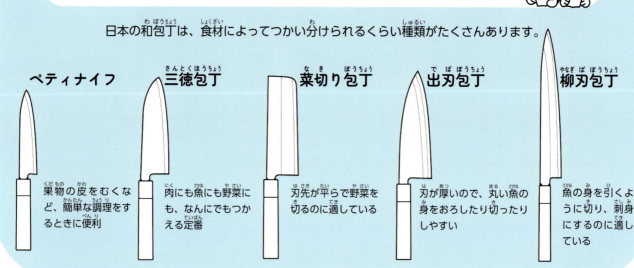

ペティナイフ　果物の皮をむくなど、簡単な調理をするときに便利

三徳包丁　肉にも魚にも野菜にも、なんにでもつかえる定番

菜切り包丁　刃先が平らで野菜を切るのに適している

出刃包丁　刃が厚いので、丸い魚の身をおろしたり切ったりしやすい

柳刃包丁　魚の身を引くように切り、刺身にするのに適している

教えて！ "包丁職人さん"

この仕事 **25年目**

實光 俊行さん (47さい)

「日本の包丁は唯一無二の技術。どんどんグローバルに広がっていきます」

Q どうして包丁職人さんになったの？

家業が三代続く包丁製造だったので、大学を卒業して、四代目として父のあとをつぐことにしました。小さいころから仕事場に出入りして、祖父や父の仕事を身近に見ていたので、自然にこの世界に入りました。

出刃包丁
柳刃包丁

Q 仕事で大変なことは？

包丁は何よりも、するどい切れ味が大切です。研ぎを進め、刃がうすく、するどくなるほど作業中のけがの危険が増します。

Q うれしいことはどんなこと？

包丁を買ってくれた人が「切りやすかった！」と、喜んでくれるときですね。お母さんがつかって良かったので、「むすめにもこの包丁を買ってあげたい」と、包丁を買いに来てくれたりすると、とてもうれしいです。

Q 器用でなくてもつくれるの？

器用でないほうが一生懸命に努力するので、かえって向いているということもあります。研ぎも、あらい段階からするどく研ぐ段階まで何段階もあるので、一段階ずつ、コツコツとていねいに仕事をすることが大切だと思います。

Q 包丁職人を目指す人に伝えたいことは？

食材をうすく美しく切る和包丁の切れ味の良さは、世界中で認められています。包丁職人として「わざ」をきわめていく人もいますし、職人としての豊富な知識を活用して、包丁を世界中に販売して成功している人もいます。国内だけでなく、これからどんどんグローバルに広がっていく仕事なので、はば広い視野を持って、世界中で活躍してほしいです。

コラム1

日本の伝統を受けつぐ仕事をしている外国出身の職人さん

スウェーデン出身の庭師さんが活躍しています。
日本ならではの庭造りの仕事を選んだ理由や魅力を聞いてみました。

庭師さん
村雨辰剛さん

プロフィール
1988年スウェーデン生まれ。19さいで日本に移住。23さいで見習い庭師となり、26さいで日本国籍を取得。造園業のかたわら俳優やタレントとして活動している。

世界で唯一無二の日本にあこがれた少年時代

　こんにちは、庭師の仕事をしている村雨辰剛です。生まれはスウェーデンですが、今は日本の国籍を取得しています。

　わたしが、はじめて日本文化にふれたのは中学校のときです。世界史で日本の戦国時代や武士のことを知り、世界でも見たことのない唯一無二の文化にしょうげきを受けて興味を持ちました。そこからアニメや映画を見たり、インターネットで調べたり、言葉を覚えたりして日本に引きこまれていったんです。

　16さいの夏休みには日本へホームステイにも行きました。当時は高校生でしたが、お寺や神社、日本庭園、温泉などに連れて行ってもらい、「なんてきれいなんだろう」と、日本の歴史的建築物や伝統に感動して、「ここで仕事をしたい」と強く思いました。そして、19さいで日本への移住を決めましたね。

　最初の数年は、外国語の教師をしていましたが、伝統分野の仕事をあきらめきれずにいろいろと探しました。最初から庭師になろうと思っていたわけではないんです。たまたま、しょうかいしていただいた方が造園業をしていたので、庭造りを教わることになったんです。

徒弟制度にあこがれていたので、親方に教わることができてうれしかったです

古民家での庭造り。まずは、掃除から始めます。

日本の"わびさび"の美意識にハマりました

趣味のひとつのぼんさい。あいた時間にていねいに剪定します。

自然をそのまま生かす
日本庭園の美しさを追求したい

　庭師という仕事は欧米にもあって、公園や庭もすばらしいのですが、わたしは、日本の庭の大きな石や曲がった木など、そこにある自然を生かすダイナミックさや、時間とともに変わっていくところにハマってしまいました。

　ほかにも、日本庭園の美しさは、華道や茶道、書道など「道」と呼ばれる人間力をみがくものや、生活の知恵ともつながっていることを知っておどろきました。日本文化って、全部つながっているんですよ。だから勉強しても勉強しても終わらないんです。

　いまは、念願だった古民家に住むように

自宅の垣根も自分でととのえます。

なって、「和暮らし」を楽しんでいます。

　庭師としては独立し、お客様の希望を聞いて日本庭園をつくっています。そのかたわらで、俳優やタレントとしてメディアに出させていただいているのですが、そこでも新しい出会いがあり、日本をより深く知るきっかけも増えてとても感謝しています。

　独立をしたからといって庭師の仕事をきわめたわけではありません。もっと庭造りを追求して、日本の"わびさび"を表現していきたいですし、知らない伝統文化にふれて自分を高めていきたいと思っています。

15

Works 3

筆職人さん

奈良筆 株式会社あかしや

すべての人に書きやすい理想の筆を目指して

書きやすさの要は「穂」ここに味わいを出す職人わざ

　奈良筆の特徴は、墨のふくみ具合や強弱、長短などが異なる十数種類の動物の毛を組み合わせて、一本の筆をつくることです。すべての筆を同じ品質にするために、筆の材料である動物の毛を、ムラがないように混ぜてそろえるところから、仕上げまでひとりの職人がつくります。

　手作業なので一本ずつつくっていると思われがちですが、一度に何十本、何百本という数を同時につくることが多いです。

遣唐使だった空海が唐から持ち帰った筆がルーツ

　日本の筆には、江戸筆や熊野筆など有名なブランドがあります。それぞれの筆には、伝えられた土地の名前がついています。なかでも歴史がいちばん古い「奈良筆」は、9世紀ごろに遣唐使だった空海が中国（唐）から製法を日本へ持ち帰り、奈良を中心に広まりました。

　「奈良筆」は、機械をつかわずに、一本、一本、すべて手仕事でつくられています。長い歴史と伝統を大切にしながら、質の高い筆づくりの技術が今も受けつがれています。

おしごとデータ

資格　筆職人になるには、とくに資格は必要ありません。経済産業大臣指定の伝統的工芸品の製造に従事している技術者から、高度の技術・技法を持っている人を「伝統工芸士」として認定しています。「伝統工芸士」になるには、試験に合格しなければいけません。

全工程を職人がひとりで仕上げる

奈良筆は何種類かの動物の毛をつかうので、動物の毛をそろえるところから仕上げまでいくつもの細かい工程があります。

❶「毛組み」や「毛もみ」で材料の毛をととのえる

数種類の動物の毛を組み合わせる「毛組み」のあと、一本いっぽん、異なる毛のくせを「毛もみ」で均一にととのえます。

❷ 毛先をていねいにそろえる「つめぬき」

「毛もみ」のあと、道具をつかわずに、指先で少しずつ余分な毛をぬき取って、毛先をていねいにそろえていきます。

❸ 毛を必要な長さに切る「寸切り」

つくる筆の種類によって穂（筆先）の長さがちがうので、「寸板」やはさみをつかって、毛先をきれいにそろえつつ、必要な長さに切ります。

❹ 均一な筆に仕上げるための「練り混ぜ」

穂先にバラつきなどが出ないよう、目をきれいに合わせ、毛を重ねて混ぜては折り返します。これを「練り混ぜ」といい、何度もくり返します。

❺ 筆の良し悪しを決める大切な「芯立て」

「練り混ぜ」のあとに、つくりたい筆の穂の直径に合わせて、小さなつつに毛を通して太さを決定する「芯立て」を行います。

⑥「おじめ」をして穂先を完成させる

焼きごてを穂のしり（底の部分）に当てて、根元を焼きかためます。そのあと、麻糸でしっかりしめて結ぶ「おじめ」を行います。

⑦「のり入れ」や「なぜ」をして美しい筆に仕上げる

「おじめ」をした穂に、布海苔というのりをつけて中までしみこませます（のり入れ）。その穂に麻糸を巻いて布海苔をしぼり出し、毛の筋をまっすぐととのえる「なぜ」を行い、美しい筆に仕上げていきます。筆をかんそうさせればできあがりです。

筆職人になるには？

☑ **工房や製造販売会社に入社する**

筆職人になるための専門の学校は、今はまだありません。伝統の筆づくりを目指すなら、伝統を守る工房へ入社するのが近道でしょう。

筆職人が技術を生かせる主な就職先

- 筆の工房
- 筆の製造販売の会社
- 文具メーカー　など

技術だけでなく歴史や伝統文化の知識を生かせる仕事もあります。

1300年続く筆づくりの方法を生かした新しいものづくり

伝統的な筆づくりを守りながら、筆ペンや画筆、けしょう筆などもつくられています。

教えて！"筆職人さん"

この仕事50年目

松谷 文夫さん（75さい）

「筆で書く楽しさを世界の人に知ってもらいたいです」

Q どうして筆職人さんになったの？

会社員をしていたのですが、奈良筆のことを知り、伝統的な仕事をしてみたいと思って、この道に入りました。ちょうど、「後継者育成事業」といって、国が伝統産業を引きつぐ人を育てる事業をしていたところに応募をして、筆職人を目指しました。

Q 仕事で大変なことは？

筆づくりには、いろいろな動物の毛をつかいますが、それぞれ毛の特徴や長所短所があるので、それらを上手に組み合わせなくてはいけません。指先の感覚でびみょうな力加減ができるようになるまでが大変かなと思います。

Q どんな人に向いている？

コツコツと何かをつくったり、手作業が好きな人には向いていると思います。ただ、不器用とか器用とかは関係ないと思いますよ。それよりも、ずっと続けていく気持ちがもっとも大切だと思います。

Q うれしいことはどんなこと？

一生懸命つくった筆を、お客様がつかってくださって「書きやすかったよ、ありがとう」と喜んでいただけるときですね。筆は、つかう人によって感じ方がちがうので「これが一番いい筆です！」となかなか言えません。だからこそ、決して手をぬかず、一つ一つの工程をていねいに積み重ねていくことがとても大切なのです。

Q これからの夢はある？

日本の、奈良の筆の良さを世界の人にもっと知ってもらいたいですね。墨をつかって筆で紙に文字を書く楽しさと、気持ち良さを海外の人にも感じてもらえると思います。国や文化をこえて、日本のすばらしい筆を届けていくのが夢です。

Works 4

花火師さん

株式会社マルゴー

夜空にかがやく大輪の花
人々の喜ぶえがおが、次への力になる

一瞬の美しさと感動のために長い時間をかけてつくる

花火をつくる仕事をしている人を、花火師といいます。花火師さんは、花火のかたちや色、つかう火薬の量などを考え、夜空でどのように花火が開くのかをイメージしながらつくります。それは、ひたすら同じ工程をくり返す地味な仕事です。

花火づくりは、大きさによってちがいますが、一工程で1日以上かかることもあります。例えば、空中で直径300メートルくらいに開く大きな花火を1個を完成させるのには、数ヵ月もかかることがあります。

江戸時代の娯楽として大人気だった花火

日本の花火の歴史は、鉄砲と一緒に火薬が日本に伝わってきたことから始まったといわれています。

江戸時代になると、身分の高い人たちの間で花火を見ることが流行し、隅田川での打ち上げ花火が年中行事になりました。

江戸の町の人々にも花火が広がると、花火をつくる職人や花火を売る人も登場して、花火は、ますますはなやかで大規模なものへと発展していきます。とくに、打ち上げ花火は芸術的で美しく、近年は、「世界一の花火」と評価されるようになりました。

おしごとデータ

必要な資格　「火薬類製造保安責任者免状」
「火薬類取扱保安責任者免状」
「煙火消費保安手帳」などがあると、仕事のはばがより広がります。

一つ一つの工程の積み重ねが
花火の美しさをつくっていく

機械化できない、繊細な職人の手作業。
花火が花開くその一瞬のために、花火師さんは仕事に打ちこみます。

❶ 花火をデザインする

パソコンをつかって花火が打ち上げられて、夜空に花開くシーンをイメージしながら、大きさや色、かたち、何重にするのかなど、花火をデザインします。また、音楽などの演出も考えます。

❷ 薬剤の配合

「星」をつくるために、酸化剤と炎色剤（花火の色を決める薬剤）と可燃剤という材料を合わせてふるいにかけ、薬剤をつくります。
※花火には「星」と「割薬」の2種類の火薬がつかわれています。「星」は空中で光る火薬であり、「割薬」は星を勢いよく飛ばすための火薬です。

❸ 星かけ・かんそう

「星」のしんとなる菜種やセラミックのつぶを、星かけ機に入れ、回転させながら薬剤をまぶしていきます。つぶが大きく玉状になったら、かんそうさせます。同じ作業をくり返して「星」をつくります。

❹ 玉ごめ・皮合わせ

玉皮という半球型の容器の内側に「星」を並べていきます（玉ごめ）。つめ終えたら、2つの玉皮を合わせる「皮合わせ」をして、玉をつくります。

21

❺ 玉はり・かんそう

小麦粉などからつくったのりをクラフト紙にぬって、細長く切ります。それを「皮合わせ」した玉の表面にはり（玉はり）、かんそうさせます。「玉はり」とかんそうを何度もくり返して完成させます。

❻ 花火大会の準備・打ち上げ

花火大会当日に花火の玉を現地に運び、つつの中に玉を入れてセットします。そこに導火線を入れて、打ち上げるときはパソコン操作で点火します。

花火師になるには？

✅ 花火製造会社に入社する

働く前から専門の知識を持っていなくても問題ありません。大学や専門学校を卒業していないとなれないこともありません。資格や技術がなくても、花火会社に就職することはできます。

花火師の主な資格

- 火薬類製造保安責任者免状
- 火薬類取扱保安責任者免状
- 煙火消費保安手帳　などは、仕事しながら取得することができます。

22

教えて！ "花火師さん"

杉崎 巧さん（46さい）

「やる気」と「根気」があれば、だれでも花火師になれます

Q どうして花火師さんになったの？

この仕事をする前から、花火を見るとわくわくしたり、感動したりするので、とても気になっていました。前職に区切りがついたころ、次は花火をつくってみたいと思い、花火屋さんの扉をたたきました。そして、出会いがあったのが今の会社です。

Q 仕事で大変なことは？

花火は、火薬などの危険物をあつかうので、絶対に事故が起きないという保証はありません。ですから、安全確認をおこたらず、「人の命も自分の命も危険にさらす可能性がある」ことをしっかり頭に置き、仕事をするようにしています。

Q 仕事で一番、難しいことは？

玉に星をつめるところですね。すき間があいてしまうと、花火の飛び散り方のバランスがくずれてしまいます。すき間なく、きれいに並べることができると、夜空で本当にきれいに丸く開いてくれます。

Q 花火の季節以外は何をしているの？

一年中、花火のことを考えてつくっていますね。一回の花火大会でつかう花火は、数千から数万発です。その量を完成させるには数ヵ月かかるので、納品が終わったら、すぐに、次の年の花火大会の準備が始まります。最近は、冬でも花火を上げることもあるので、「つくって→花火大会で上げる」をくり返していると、結局、ずっと花火をつくっていることになります。

Q 夢はありますか？

しんが何重にもなっていて、空中で直径300メートルくらいか、それ以上に大きくまん丸に開く花火をつくることです。デザインはとてもシンプルですが、どこから見ても、かたちがそろっているきれいな球体の花火は、日本の花火技術の頂点ともいわれていますので、いつか、かならずつくってみたいですね。

みんなのギモン コラム2

「自分が好きなこと」を仕事にしたほうがいいですか？

好きなことを仕事にする、とはどういうことでしょうか？
良い点と注意点を考えて、将来、自分に合った働き方を見つけましょう。

仕事を選ぶときには、いろいろな考え方を持っておくことも大切

好きなことを仕事にしたほうがいいかどうかは、人によってちがいます。好きなことを仕事にして、しあわせややりがいを感じながら、楽しく働いている人もいます。

一方で、ストレスやいやな部分が増えてしまい、「好きなこと」が「きらいなこと」に変わってしまう人もいます。

だからこそ、「好きな仕事をしたほうがいいか？」だけではなく、ほかの見方も考えておくといいでしょう。

その1つが、Will/Can/Mustという考え方です。

- Will：「自分の意志（やりたい・好き等）」
- Can：「自分の得意（できる）」
- Must：「自分の使命（すべき）」

この3つが合わさる仕事を探してみると、楽しく仕事ができる可能性が高いです。

大好きな昆虫を研究して、学校で発表できたらうれしいな！

好きなこともふくめて、自分を知ることも大切

　将来、仕事を選ぶときは、先ほどのWill/Can/Mustに加えて自分の性格や考え方を、よく理解することも大切です。

　好きなことかどうかだけで仕事を選んでしまうと、その仕事が自分に合わなかったとき、がまんをしたり、つらくなったりするかもしれないからです。自分を知ったうえで、どんな仕事が合うか、さまざまな仕事の選択肢から選ぶといいでしょう。

　また、しあわせややりがいを感じながら、楽しく働くために、次のことを心がけるといいですよ。

- ●小さな楽しさやうれしさを見つける
- ●楽しさやうれしさを大事な宝物にする

　こうすることで、多少つらいことがあっても好きでいられるはずです。

　やってみたい仕事を見つけるために、いろいろなことに挑戦して、楽しいことやうれしいことを探してみましょう。自分がどんなときに楽しい・うれしいと感じるかを知ることが、自分に合った仕事・働き方を見つけるための第一歩になるでしょう。

自分の好きなことを大切にするだけでなく、得意なことを大切にする、使命感を大切にするなど、仕事への考え方をいくつか持っておきましょう。

髙橋 宗介　パーソルキャリア株式会社
"はたらく"を考えるワークショップ推進チームより

Works 5

宮大工さん

伝統文化と環境福祉の専門学校

日本建築最高峰のわざを守り未来へつなげる

材料の木を慎重に選び建物が長持ちするよう「木組み工法」で建てる

宮大工さんと、わたしたちが住む家を建てる普通の大工さんとでは、建物につかう材料や建て方の技術に少しちがいがあります。

普通の大工さんは、コンクリートや鉄など、木材以外の材料も用いて、手作業と機械の両方をつかって建物をつくります。

一方、宮大工さんは、主に木材をつかいます。建物が長持ちするように木材同士を組み合わせ、地震や台風などの災害から建物を守る「木組み」工法で、伝統的な建物をつくっていきます。

伝統的な和風の建築物をつくる宮大工

「宮大工」の仕事は歴史がとても古く、飛鳥時代からあるといわれています。

主な仕事は、伝統的な和風の建物をつくったり、修理したりすることです。新しい建物を建てることもあれば、神社やお寺、お城などの古くて大切な建物（国宝や文化財など）を修理することもあります。

また、2本の木材を同じ方向につなぐ「継手」や、ちがう方向に組む「仕口」といった、日本に古くから伝わる技術を守り、次の世代に伝えることも宮大工さんの大切な役割です。

おしごとデータ

必要な資格 キャリアを積んでいくなかで建築大工技能士や伝統再築士、木造建築士などの資格を取ることがあります。

神社仏閣をつくるために正確さが求められる

宮大工さんの仕事には、建築や歴史の知識が必要です。
また、良い木を見分ける"目"や正確な図面を引く能力も求められます。

●実際のサイズの図面を起こす
最初に小さな図面を起こし、そこから実際の建物の大きさと同じサイズの図面を起こします。

●材木を用意する
図面に沿って必要な材木を用意します。建てるものによって木の種類などが変わるので、木の特徴をよく知っておくことも大切です。

●型取りをする
図面に合わせて必要な長さを測り、材木に墨で黒い線を入れて、それに沿って材木を切っていきます。

●組み立てる
必要な長さに切った材木を現場で組み立てます。組み合わせながら、その場で細かい調整なども行います。

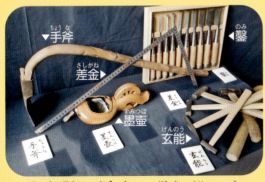

●手仕事の道具
道具も昔から受けつがれてきたものが多く、「鉋」「鑿」「墨壺」「差金」「手斧」などをつかって木材をきれいにととのえていきます。

宮大工になるには？

つくるだけでなく、神社仏閣など
日本の伝統的な建築物のことも学び研究します

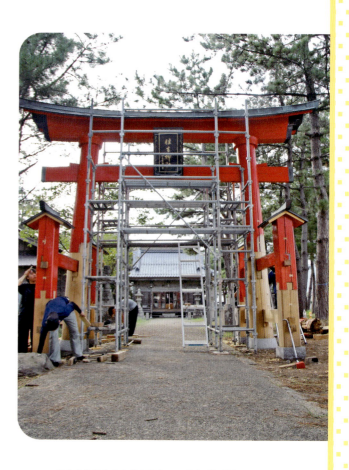

☑ 建築系の専門学校や大学で伝統芸術や技術を学ぶ

宮大工になりたいと思う人は、建築系の専門学校や大学の建築学科で学ぶと良いでしょう。大学に通いながら、さらに、技術を高めるために、建築系の専門学校に通う人もいます。就職後は、実際の現場で経験を積むことが大切です。

☑ 伝統建築専門の工務店に入社する

伝統建築を専門とする工務店や建築設計事務所などに就職し、先輩のもとで技術を学びます。実際の仕事を手伝いながら少しずつレベルアップして、一人前の宮大工を目指します。仕事をしながら資格を取ることもできます。

宮大工専門学校の主な就職先
- 伝統建築専門の工務店
- ハウスメーカー
- 建築設計事務所
- 都道府県の文化財課　など

主な資格
- 木造建築士
- 建築大工技能士
- 二級建築士
- 伝統再築士

などを持っていると、スキルアップや収入アップにもつながります。

28

教えて！
"伝統文化専門学校の先生"

建築業界 30年目

井土英樹 先生 （53さい）

千年前の建物を、千年後に残しておく仕事でもあります

Q 宮大工さんを目指す人はどんな人？

テレビや新聞で、宮大工が国宝建築の神社や寺院の建物を修理しているシーンなどを見て、「こんなすごい仕事ができるんだ！」と感動し、宮大工の道を目指す人が多いですね。地震で被災した文化財建築物の再建にも宮大工はなくてはならない存在です。宮大工にしかできない仕事へのあこがれが、学生の原動力になっていると思います。

Q 仕事で大変なことは？

宮大工になるためには、平安時代や鎌倉時代、江戸時代など、昔の建築について技術だけでなく、歴史を学ぶ必要があります。当時の宮大工がどうしてこういう仕事をしたのかを理解し、それをもとに、現代の工法とうまく組み合わせて、最適な方法を選ぶ判断力を養うことかと思います。

Q うれしいことはどんなこと？

宮大工の仕事の多くは、伝統的な建物の修理です。例えば、地震などでこわれた地域の大切な建物をきれいに直すと、地元の人にとても喜んでもらえます。そんなときは、とてもやりがいを感じていますね。

Q どんな人に向いているの？

自分は不器用だと思っている人でも、努力を続けられる人なら大丈夫です。この仕事が好きだという気持ちが一番大切ですね。また最近は、女性の宮大工も増えていて、高い評価を得ています。

Q 宮大工さんを目指す人はどんな夢を持っているの？

多くの学生は、国宝や重要文化財などの、伝統建築にかかわりたいと思っているでしょう。一人前の宮大工になるには、最低でも5〜7年以上かかるといわれていますが、宮大工は、AI（人工知能）には絶対できないというほこりを持って、夢に向かって、みんな一生懸命にがんばっています。

29

Works 6

杜氏さん

向井酒造株式会社

仲間とのチームワークでおいしい日本酒をつくる

日本酒づくりのキーマン 杜氏さん

日本酒づくりは、「杜氏」と呼ばれる総監督のもとで行われます。杜氏のもとには「蔵人」という酒づくりの職人たちがいて、みんなで協力して日本酒をつくります。

杜氏は、米こうじづくりやお酒の発酵具合に常に注意をはらい、「今が一番おいしい」というタイミングを見て圧搾（お酒をしぼること）し、日本酒を完成させる重要な役割をになっています。なかには、一年の半分は農業や漁業をして、残りの半分は杜氏として働く人もいます。

日本酒づくりは約2000年以上も前から始まっている

日本人の主食であるお米をつかってつくる日本酒は、約2000年前から始まったとされています。昔は、米を口の中でかんでつくる「口かみ酒」でしたが、4世紀ごろから「こうじ菌」というカビ菌をつかってつくるようになり、平安時代から室町時代にかけて日本酒づくりが発展しました。その後、現代とほぼ同じつくり方が江戸時代中期に確立されたといわれています。

おしごとデータ

仕事への姿勢 杜氏としての技能と日本酒への愛情

30

日本酒づくりを
プロデュースする杜氏さん

どんな日本酒にしようか、から始まり、想像通りのお酒にするために全工程を確認して、監督するのが杜氏さんです。

日本酒ができるまで
精米 ▶ 洗米 ▶ 洗った米を水につける ▶ 水切り ▶ 米をむす ▶ 米こうじをつくる ▶ タンクにむし米、米こうじ、水を入れる ▶ こうぼを加えて、もろみをつくる ▶ 圧搾する（しぼる） ▶ ろ過 ▶ 火入れ

❶ 洗米とむし
日本酒づくりに適した専用の「酒米」を精米し、よく洗ってぬかを取ってから、水につけます。それをむし上げて、むし米をつくります。食事でいただくお米でも、日本酒をつくることができます。

❷ 米こうじをつくる
むし米にカビの一種のこうじ菌をかけて、米こうじをつくります。米こうじは、お酒のうまみのもとにもなるもので、日本酒の味の良し悪しを決める大切な役割があります。

❸ 仕込み
タンクの中に、米こうじ、むし米、こうぼ菌、水を入れてゆっくりと発酵させます。発酵した状態を「もろみ」と呼びます。杜氏は、もろみの様子を見ながらアルコール度数や日本酒度（あまさとからさのバランス）などを分析し、一番おいしい日本酒になるタイミングを見つけていきます。

❹ 圧搾とびんづめ
もろみをしぼって、日本酒と酒かすに分けます。これを「圧搾」といいます。その後、日本酒をろ過したり、火入れ（殺菌）をして、びんにつめます。

杜氏になるには？

発酵の知識や技術だけでなく
日本酒のことやその歴史をよく知ることが必要です

もろみを少し取り出して分析し、もろみをしぼるタイミングを決めます。

タンクに入れるための米を渡しています。

朝と夕方にもろみを混ぜて、温度をはかり、もろみを管理します。

☑ 日本酒の蔵元や日本酒をつくっている会社に入る

日本酒をつくっているところを「蔵元」といいますが、とくに小さな蔵元では、すべての日本酒づくりの工程を身近に経験しながら、技術を身につけることができます。また、大きな規模の日本酒をつくっている会社に入って、杜氏を目指すこともできます。

☑ 大学の醸造学科で学ぶ

大学の醸造学科は、発酵の仕組みなどを専門的に学ぶことができます。将来、自分で新作の酒の開発をしたいと考える人は、大学で醸造について学ぶことをおすすめします。

杜氏が活躍できる主な就職先

- つくり酒屋
- 酒造メーカー
- ワイナリー
- 食品メーカー
- 食品研究会社　など

教えて！ "杜氏さん"

この仕事 25年目

向井 久仁子さん（48さい）

「日本酒づくりは、仲間とのチームワークが大事です」

Q どうして杜氏さんになったの?

代々続く蔵元の家に生まれて、大学の醸造学科に進学しました。大学でとても良い先生に出会って発酵の楽しさを知りました。自分で一生懸命、勉強したことを家の仕事に生かしたいと思い、実家の蔵に入って杜氏を目指しました。

Q 仕事で大変なことは?

米こうじは、日本酒の味の良し悪しを決める大切なものですが、米こうじをつくるとき、夜中も温度管理をするなど、お世話をするので大変です。秋から春先にかけて日本酒づくりを行う間は、米こうじづくりが続くので、気力も体力も必要です。

Q うれしいことはどんなこと?

おいしいお酒ができたときです。わたしたちの仕事はこうじ菌とか、こうぼとかの微生物、つまり生き物を相手にしていて、人間はあくまでお手伝いをする立場なんです。ですから思い通りにいかないこともありますが、良い結果が出たときはうれしいですね。

Q お酒に弱い人でも杜氏さんになれる?

日本酒づくりは信頼できる仲間と一緒にする仕事です。得意や苦手なことがそれぞれあっても、おたがいに助け合って協力しながらできるので大丈夫ですよ。

Q どんな人に向いている?

おいしいものを食べることが好きだったり、好奇心のある人、ひとりではできない仕事なので、チームで仕事をしたい人にとても向いていると思います。

Q 将来の夢は?

日本酒は、海外でもおいしいと認められて、たくさんの人が日本酒を楽しんでいます。国内だけでなく、世界中の人に日本酒のおいしさをもっと伝えていきたいです。
日本酒は日本の国酒なので、みなさんも大人になったら、ぜひ、日本酒を楽しんで大切に守っていってくださいね。

ほかにもあるよこんな仕事

日本の伝統的な仕事は、まだまだたくさんあります。
昔から受けついできた和菓子づくりや染め物の仕事をみてみましょう。

Works 7 和菓子職人さん

宝泉菓子舗

日本の四季のかたちを手のひらから生み出す

日本の風情や文化をあらわす和菓子

和菓子は、日本の風情や文化がこめられ、昔から親しまれてきた伝統的なお菓子です。何よりも、春夏秋冬という日本の季節感を大切にしているので、かたちや素材に、旬のものをつかうことがよくあります。

また、お茶会や特別なお客様にお出しする、かざり細工が美しい「上生菓子」、大福やおだんごのように手軽に食べられる「朝生菓子」、砂糖を固めてつくる「干菓子」、日持ちのする「半生菓子」、そして"竿もの"と呼ばれる「羊かん」など、TPOに合わせた種類があるのも日本らしさでしょう。

1日の仕事はお店の規模によって変わる

和菓子をつくる工程は、お店によってあまり変わりませんが、働く人がたくさんいるお店の場合は分担して仕事をします。

働く人が少ない個人店の場合は、すべての仕事を数人で行うので、早朝から仕事をすることもめずらしくありません。

1日の主な仕事内容

朝から餡だきをする ▶ その日の和菓子の種類や分量を決めて準備をする ▶ 和菓子をつくる ▶ でき上がった和菓子をお店に並べる ▶ 接客をする

おしごとデータ

必要な資格 和菓子職人としての技術。独立する場合は調理師免許が必要です。

和菓子づくりの大切な仕事

和菓子づくりでは、とくに「餡だき」と「かたちづくり＝デザインをする」の2つが大事な仕事になります。

● 餡だき

餡をたくこと（餡だき）は、毎日行うもっとも大切な仕事です。同じあずきをつかっても、その日の気温や湿度によってたき加減が変わってきます。「あのお店のいつもの味」を出すために、細やかに気を配って、ていねいな仕事を心がけています。

● デザインを決める

和菓子の主なかたちには、さまざまな色の生地で餡を包み、手技で花などをかたちづくるものと、木型をつかってかたちづくるものがあります。どんなデザインにするかは、頭の中で考えたものをつくる人や、スケッチなどをしてかたちを決めていく人など、職人によっていろいろなやり方があります。

教えて！和菓子職人さん

仕事で楽しいときは？

仕事歴27年目 前田崇之さん 47さい

餡がうまくたけて、頭で思いえがいたきれいな和菓子ができたときです。お客様に「おいしかった！」と喜んでもらって、また買いに来てくれたときは、とてもうれしいです。

和菓子職人になるには？

- ☑ 製菓学校で学ぶ
- ☑ 和菓子屋に入社する

製菓学校では歴史や風土を学ぶこともあるので、和菓子の全体像を知ることができます。
和菓子屋さんでは、先輩の職人さんに直接技術を教えてもらうチャンスが多くあるでしょう。

Works 8 印染職人さん
スギシタ有限会社

くっきりと、美しく
大切な「印」を染める

印染の「印」ってなに？

「印」とは、家紋や地域、会社などの紋章のことで、家や会社、その土地にかかわっていることを示す大切なシンボルです。
「印染」とは、その紋章をのぼりやはんてん、風呂敷、のれんなどの布に染めて、ひと目で、どこのだれのものなのかがわかるようにするものです。「印」も「染めること」も、昔から日本の伝統文化として受けつがれてきました。

想いをのせて「印」を染める仕事

印染の仕事について、職人さんは「ただ色を染めるだけでなく、お客様の想いと一緒に印を美しく染めることが一番のやりがいです」と言います。
最近では、伝統的なものだけでなく、トートバッグやポーチなどに印を染めたり、世界的に有名なファッションデザイナーの仕事に参加するなど、印染の技術を国内外に広める活動も行っています。

おしごとデータ
仕事への姿勢 ものづくりへの愛があること

くっきり美しい「印」を染める

① デザインに沿ってもちのりを置く

デザインに沿って、白く残したい部分にもちのり（防染のり）をのせます。仕上げに引粉と呼ばれるおがくずや砂をかけて、一日ほどかわかします。

② 染める

「布海苔」という海藻をとかした液を布の表面に引き（ぬり）、色ムラやにじみを防ぎます。その後、1色ごとに染料液で染めます。ムラにならないよう手を均一に動かし、終わったらむして色を定着させます。

③ 水洗いをする

むし終わった生地の中の余分な染料を洗い流します。くっきりと美しい「印」があらわれる瞬間です。

④ 仕立てて、商品に仕上げる

生地を寸法に合わせて切ったり、ぬったりして、のぼりや旗、はんてんや風呂敷などに仕上げます。

教えて！印染職人さん

仕事で楽しいときは？

仕事歴42年目 杉下永次さん 60さい

つくったものを喜んでいただけることと、何よりも印染を通して、たくさんの人とつながることがうれしいです。

印染職人になるには？

☑ 美術系大学や専門学校で学ぶ
☑ 染物工房に入社する

美術系大学や専門学校で理論と技術を広く学ぶ、または工房に入って職人さんから直接、技術を学ぶこともできます。

コラム3

伝統を受けつぐ仕事の見つけ方ガイド

昔から続く伝統の仕事についてもっと知りたいとき、
直接に見たり聞いたり体験してみたいときには、次の方法で探してみましょう。

1 公共図書館や学校の図書館の「伝統・文化芸術」の分野から探そう

「伝統・文化芸術」に関するさまざまな書籍があるので、興味のあるテーマを探して読んでみましょう。伝統や文化芸術を受けつぐ人々についても、多く書かれているものもあります。

2 体験やイベントに参加してみよう

「伝統・文化芸術」の体験やイベントは各地で行われています。
例えば、能・狂言・歌舞伎などの「観る体験」から、江戸切子づくり・吹きガラス、陶芸などの「つくる体験」まで、いろいろあるので、気になるものが見つかったら保護者に相談をしましょう。

3 インターネットで検索しよう

「伝統の仕事」「職人の仕事」「伝統・文化芸術」など、テーマで検索してみましょう。「お祭り」「歌舞伎」「和紙」など、具体的な名前で検索すると、よりくわしい情報が見つかります。インターネットで調べたあとに、公共の図書館や学校の図書館で本を探すと、さらに深く理解できます。

4 地域のお祭りに参加してみよう

地域のお祭りは、身近に体験できる伝統文化です。お祭りの由来、御神輿のかけ声やはっぴの紋章、神社で行われる御神楽などを観ることで、伝統文化にふれることができます。

さくいん

 あ行

餡(あん)だき	35
お寿司(すし)	6〜9

 か行

家紋(かもん)	36
蔵人(くらびと)	30
米(こめ)こうじ	30、31、33
鍛冶(かじ)	11

さ行

堺包丁(さかいほうちょう)	10、11
仕入(しい)れ	7
仕込(しこ)み	6、7、31
シャリキリ	7
印染(しるしぞめ)	36、37
印染職人(しるしぞめしょくにん)	36、37
寿司職人(すししょくにん)	6〜9
製菓学校(せいかがっこう)	35

 た行

伝統文化(でんとうぶんか)	4、29、38
伝統芸能(でんとうげいのう)	5
伝統工芸(でんとうこうげい)	5
杜氏(とうじ)	30〜33

 な行

奈良筆(ならふで)	16、17、19
日本酒(にほんしゅ)づくり	30〜33
庭師(にわし)	14〜15

は行

花火師(はなびし)	20〜23
筆職人(ふでしょくにん)	16、18、19
包丁(ほうちょう)	10〜13
包丁職人(ほうちょうしょくにん)	10、12、13
包丁(ほうちょう)の種類(しゅるい)	12

 ま行

宮大工(みやだいく)	26〜29
紋章(もんしょう)	36

 わ・を・ん

わざ	6、8、13、16、26
和菓子(わがし)	34、35
和菓子職人(わがししょくにん)	34、35
わびさび	15

39

●**監修：パーソルキャリア株式会社**
　　　"はたらく"を考えるワークショップ推進チーム

パーソルキャリア株式会社では、全国の小・中学校向けに"はたらく"を考えるワークショップを無償提供しています。
2023年度までに、全国で565回、300校/33,000名以上の児童や生徒に、しごとやキャリアについて考え、生きる力を身につけるプログラムを実施してきました。これからも子どもたちのキャリアオーナーシップを育む機会提供を行っていきます。

●**取材・ライティング**：郡 麻江／Niko Works
●**写真**：伊井 龍生／UkiyoeStock／
　　　　PIXTA：P4、P5、P7、P22、P28、P30
●**参考文献・引用**：日本正月協会、公益社団法人日本煙火協会

働く現場をみてみよう！
伝統を守り・伝える仕事

2024年8月10日発行　第1版第1刷©

監　修	パーソルキャリア株式会社
	"はたらく"を考えるワークショップ
	推進チーム
発行者	長谷川 翔
発行所	株式会社 保育社
	〒532-0003
	大阪市淀川区宮原3-4-30
	ニッセイ新大阪ビル16F
	TEL 06-6398-5151　FAX 06-6398-5157
	https://www.hoikusha.co.jp/
企画制作	株式会社メディカ出版
	TEL 06-6398-5048（編集）
	https://www.medica.co.jp/
編集担当	中島亜衣／二畠令子／佐藤いくよ
編集協力	Niko Works
装幀・デザイン	坂本真一郎／NikoWorks
イラスト	kikii クリモト
校　閲	香風舎 石風呂春香
印刷・製本	株式会社精興社

本書の内容を無断で複製・複写・放送・データ配信などをすることは、著作権法上の例外をのぞき、著作権侵害になります。

ISBN978-4-586-08677-1　　　　　　　　　　　　　Printed and bound in Japan
乱丁・落丁がありましたら、お取り替えいたします。